Supplément réalisé avec la collaboration de
Dominique Boutel, Nadia Jarry
et Anne Panzani

traduit par Yves-Marie Maquet

ISBN : 2-07-031243-7
Titre original : Der Grossvater im Bollerwagen
© Verlag Nagel & Kimche AG, 1988
© Editions Gallimard, 1990 pour la traduction
Numéro d'édition : 49696
Dépôt légal : septembre 1990
Imprimé en Italie par La Editoriale Libraria

Aurélio

GUDRUN PAUSEWANG
ILLUSTRÉ PAR
INGE STEINEKE

GALLIMARD

– J'en ai assez, dit un jour le grand-père à Pépito. Installe-moi dans la charrette et emmène-moi sur la montagne, jusqu'au précipice qui s'ouvre de l'autre côté.

Pépito avait l'habitude d'obéir à son grand-père. Il le fit asseoir dans la charrette et lui tendit ses béquilles. Le grand-père les posa sur son ventre, en travers de la charrette.

– Grand-père, faut-il que je prenne du pain, de la viande séchée et une bouteille de cidre ? demanda Pépito.

– Pour quoi faire ? demanda le grand-père.

Alors que Pépito commençait à gravir le chemin de la montagne en tirant la charrette, ils rencontrèrent Damien, le jeune instituteur. Lui, il descendait de la montagne pour se rendre à l'ancienne bergerie qu'il avait aménagée en salle de classe.

– Bonjour Pépito, dit-il, où vas-tu de si bon matin avec ton grand-père ?

– Il veut aller sur la montagne, dit

Pépito, tout en haut, jusqu'au précipice.

– Jusqu'au précipice ? demanda
l'instituteur, incrédule.

– Jusqu'au précipice, assura le
grand-père, et il frappa impatiemment
la charrette avec ses béquilles.

« Pépito doit m'emmener. Il n'ira

pas à l'école aujourd'hui. Il n'y retournera que demain. Et maintenant, laisse-nous partir. Je suis pressé.

– Puis-je me permettre de te demander ce que tu as l'intention de faire, une fois là-haut ? demanda Damien l'instituteur.

– Cela ne regarde personne, répondit sombrement le grand-père. De toute façon, j'en ai assez. Que puis-je espérer encore ? J'ai aimé et j'ai haï, tour à tour triste et heureux, j'ai transpiré et grelotté, j'ai travaillé, j'ai fait la fête, parfois malade, souvent bien portant, j'ai eu peur et j'ai été courageux et, de plus, j'ai été marié, j'ai eu une fille, il ne me reste que mon petit-fils. Est-ce que je n'ai pas vécu tout ce que l'on peut vivre ?

L'instituteur se gratta la tête.

– Tu as beaucoup vécu, grand-père, dit-il, pourtant, il te manque encore quelque chose : tu ne sais pas ce que c'est que lire et écrire. J'apprends aussi à lire aux adultes, après le travail. Tu es cordialement invité.

8

– Turlututu, répondit le grand-père
en tournant la tête. En route, Pépito !

Et Pépito recommença de tirer son
grand-père jusqu'à ce qu'ils arrivent à
hauteur de la cabane d'Astédia.

– Salut, voisin ! s'écria Astédia en

voyant le grand-père et elle se pencha
à sa fenêtre :

– Où vas-tu, de si bon matin ?

– Dans la montagne, grogna le grand-
père, j'en ai assez. Mes genoux sont
raides et…

– Goûte-moi donc ce fromage, dit Astédia, il lui manque un petit quelque chose pour être parfait. Toi qui as si bon palais, tu vas me dire tout de suite ce qu'il faut ajouter.

Le grand-père goûta.

– Une pointe d'ail finement hachée, dit-il, et cela fera le meilleur fromage du monde.

– Et dire que je n'ai pas été capable d'y penser toute seule ! s'écria Astédia. Que serait devenu mon fromage sans toi ? Quand tu redescendras, arrête-toi, je t'offrirai du pain que j'ai cuit moi-même et huit sortes de fromages.

– Je ne redescendrai pas, dit le grand-père en s'essuyant la bouche d'un revers de main. Pépito, allons notre chemin !

– Si j'étais toi, je réfléchirais encore un peu, lui lança Astédia avant de disparaître.

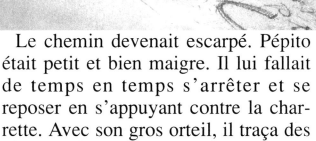

Le chemin devenait escarpé. Pépito
était petit et bien maigre. Il lui fallait
de temps en temps s'arrêter et se
reposer en s'appuyant contre la charrette. Avec son gros orteil, il traça des
signes dans la poussière.

– Vois-tu, grand-père, cela se
lit « AU », dit-il.

Le grand-père jeta un coup d'œil,
puis détourna la tête.

– Toi, avec ton stupide alphabet, gronda-t-il, fiche-moi la paix ! En avant !

Ils passèrent devant la hutte de Rufino. Rufino, le joueur de guitare. Lorsqu'il reconnut le grand-père dans la charrette, Rufino l'interpella :

– Ohé ! vieil ami, où vas-tu donc de si bonne heure ?

– Dans la montagne, répondit le grand-père, j'en ai assez. Mes genoux sont raides, mes doigts sont tout tordus et…

– Tu as pourtant été bon guitariste,

lui dit Rufino. Écoute un peu ma guitare. Elle ne résonne plus aussi claire-
ment qu'auparavant. Et je me demande pourquoi.

Il tendit la guitare au grand-père qui,
avec ses doigts tout tordus, commen-
ça de gratter délicatement les cordes
en inclinant la tête pour mieux écouter.

– Elle a quelque chose dans le
ventre, dit le grand-père, et il glissa la
main sous les cordes, par l'ouverture
de la rose, tâtonna tout autour et sortit
une grosse chenille qui avait fait son
nid dans la caisse.

– Merci, dit Rufino, quand tu redescendras, je te jouerai tous les airs que
tu aimes.

– Je ne redescendrai pas, dit le
grand-père, agacé.

– Et si je t'attends quand même ?
cria Rufino en riant et en
faisant de grands signes.

Le chemin se faisait de plus en plus
raide. Pépito suait à grosses gouttes,
bien que le grand-père ne fût pas

lourd. Il dut se reposer de nouveau. Il s'accroupit à côté de la charrette et, du doigt, dessina un autre signe dans la poussière.

– Tu ne peux pas rester tranquille un instant, dit le grand-père.

– Ça, c'est un E, expliqua Pépito. Regarde.

Le grand-père regarda du coin de l'œil puis se détourna.

– AU ou E, cela m'est égal, bougonna-t-il. En avant !

Ils atteignirent la chaumière de Rosalina. Rosalina s'avança jusqu'à

la barrière. Elle avait son bébé dans les bras.

– Bonjour Papi, dit-elle. Où vas-tu si tôt ?

– Dans la montagne, répondit le grand-père, je ne te dirai pas à quel point je suis las de tout. Mes genoux sont raides, mes doigts sont tout tordus, mes yeux pleurent, j'ai mal au ventre et…

– Justement, tu t'y connais en maladies, lui dit Rosalina avec gravité, tout en lui tendant son petit. Examine donc mon Josélito. Il mange et mange toute la journée, et son ventre est plein, mais il a des cernes sous les yeux, il est fatigué, il est pâle. Qu'est-ce qui ne va pas ?

Le grand-père ausculta Josélito.

– Il a des vers, dit-il. Des graines de potiron broyées en poudre, tu les mélangeras à du lait jusqu'à faire une bouillie qu'il prendra à jeun.

– Que Dieu te prête longue vie, dit Rosalina, que tu puisses soigner encore beaucoup de malades ! Arrête-toi lorsque tu redescendras, je vais te tricoter une ceinture pour les reins, en grosse laine. Je tricote vite. Lorsque tu repasseras, elle sera terminée.

– Je ne repasserai pas, dit le grand-père, furieux.

– Quelle est ta couleur préférée ? lui lança Rosalina en lui faisant au revoir de la main.

– Le rouge, répondit le grand-père.

Le chemin devenait étroit, et toujours plus escarpé.

– Prends ton temps, mon garçon, dit le grand-père. Je ne suis pas à un quart d'heure près.

Pépito ne demandait qu'à se reposer. Il s'assit en tailleur contre la charrette et dessina avec un bout de bois dans la poussière du chemin.

– C'est un I , expliqua-t-il.

Le grand-père regarda et puis se détourna.

– Qu'est-ce que ça peut bien me faire que ce soit un I, grommela-t-il.

Pépito s'attela de nouveau à la charrette. Ils étaient maintenant à mi-pente et arrivaient à la cabane d'Antonio. Antonio était assis sur le seuil et aiguisait sa faux.

– Tiens, te voilà ! dit-il au grand-père. Où vas-tu à cette heure ?

– Dans la montagne, répondit le grand-père, je suis las de tout. Mes genoux sont raides, mes doigts sont tout tordus, mes yeux pleurent, j'ai mal au ventre, j'ai mal au dos et…

– Cela tombe bien que tu sois passé par ici, dit Antonio, tu sais prévoir le temps. Va-t-il pleuvoir ? Va-t-il faire sec ?

Le grand-père fronça les sourcils, scruta le ciel et renifla.

– Un temps splendide pour la fenaison, dit-il.

– Alors, je m'en vais vite couper les foins ! s'écria Antonio en saisissant sa faux. Sur le chemin du retour, arrête-toi chez moi, nous boirons un verre de cidre, mon cher !

– Il n'y aura pas de retour, dit le grand-père en fixant Antonio d'un air buté.

– Est-ce que par hasard tu dédaignerais mon cidre ? demanda Antonio. Réfléchis bien !

Et, partant d'un grand éclat de rire, il lui donna une belle tape dans le dos.

Le chemin n'était plus maintenant qu'un sentier. Pépito haletait.

– Va doucement, lui dit le grand-père, il n'est pas encore midi.

Pépito tira la charrette jusque sous un vieil arbre. Il ouvrit son couteau et tailla une sorte de cercle dans l'écorce du tronc.

– Que fais-tu ? demanda le grand-père.

– Un O, répondit Pépito.

Le grand-père observa le O du coin de l'œil, mais ne dit rien. Pépito se remit à tirer la charrette. Les nuages étaient de moins en moins épais. Le soleil était comme un disque blanc suspendu dans la brume, au-dessus du sommet.

– Là-haut, il fera clair, dit le grand-père à Pépito.

Un long moment passa avant qu'ils ne rencontrent Isabelle et Isidore qui allaient, la main dans la main.

– Salut, petit grand-père, dit Isabelle, vous seriez-vous égarés ? Là-haut, il n'y a rien que le sommet.

– C'est justement là que je veux aller, dit le grand-père. J'en ai assez. Mes genoux sont raides, mes doigts sont tout tordus, mes yeux pleurent, j'ai mal au ventre, j'ai mal au dos, toutes mes dents sont tombées sauf deux, une en haut et une en bas et…

– Écoute-moi, dit Isabelle, tu t'y connais en amour, n'est-ce pas ? Nous deux, nous nous plaisons beaucoup, Isidore et moi, et nous voudrions res-

ter toujours ensemble. Mais tout le monde nous met en garde, parce que Isidore est noir et que je suis blanche. Qu'en penses-tu ?

– Si vous êtes sûrs, répondit le grand-père, que ton amour est important pour Isidore, et que le sien compte pour toi, alors essayez…

– Oh, merci ! merci ! cria Isabelle et, se jetant au cou du grand-père, elle lui appuya un gros baiser sur la joue.

– Ça fait du bien, reconnut le grand-père.

– Tu seras le parrain de notre premier enfant et nous lui donnerons ton nom, dit Isabelle.

Le grand-père secoua la tête.

– Il ne faut pas compter sur moi, dit-il, je ne reviendrai pas.

Mais Isabelle et Isidore étaient déjà repartis, la main dans la main.

– Je m'appelle AURELIO ! leur cria-t-il.

Sa voix était enrouée, et pourtant, on l'entendit presque jusqu'en bas, dans la vallée.

Pépito et son grand-père avançaient de plus en plus difficilement.

Le sentier était devenu caillouteux.

– Doucement, mon garçon, doucement, dit le grand-père, la sueur te coule du front à grosses gouttes. Pour ce que j'ai à faire, ne t'inquiète pas, il sera toujours temps.

Pépito se jeta à terre et, du bout du nez, dessina quelque chose dans la poussière, puis il roula sur le côté et ferma les yeux. C'était si bon de se reposer !

Dans un demi-sommeil, il entendit son grand-père qui lisait : « AU-E-I-O » et qui disait :

– J'ai su ce que c'était, ça me rappelle quelque chose. Si seulement je pouvais dire quoi…

– Mais tu as appris à lire, grand-père, s'écria Pépito.

Le grand-père dit en ricanant :

– Allez ! avoue que tu t'es réjoui d'en savoir plus que moi !

Deux bergers étaient assis dans la pente, au milieu des rochers. Ils chantaient une chanson qui résonnait au loin. Ils chantaient à deux voix.

– Hé ! vous deux, où allez-vous ? demandèrent-ils au grand-père et à son petit-fils. Il n'y a plus rien, là, au-dessus, rien que le sommet et le ciel, et une vue magnifique tout autour.

– Et le précipice, dit le grand-père, c'est là que je veux aller. J'en ai assez. Mes genoux sont raides, mes doigts sont tout tordus, mes yeux pleurent, j'ai mal au ventre, j'ai mal au dos, toutes mes dents sont tombées sauf deux, les rhumatismes me rendent infirme, je grelotte sans arrêt et…

– D'accord, d'accord, dirent les bergers, mais pourrais-tu joindre ta voix aux nôtres et chanter avec nous ?

– Et comment, que je pourrais, dit fièrement le grand-père, c'est une chanson que j'ai souvent chantée quand j'étais plus jeune.

Il se racla la gorge et chanta. Sa voix était un peu éraillée. Malgré cela, cette chanson, chantée à trois voix, sonnait merveilleusement.

– Chante avec nous ! dit le grand-père à Pépito. Ils chantèrent les vingt-sept strophes. A la fin, les bergers se confondirent en remerciements.

– A votre retour, nous chanterons encore, dirent-ils.

– Il n'y aura pas de retour, dit le grand-père.

– Tu es un bon chanteur, mais tu es aussi un fin plaisantin, dirent les bergers en éclatant de rire. Nous allons travailler nos voix, en prévision de votre retour, s'écrièrent-ils.

La charrette cahotait au milieu des éboulis. Les arbustes et les buissons avaient fait place à l'herbe rase et à quelques fleurs qui s'abritaient entre les pierres.

– Nous y sommes presque, gémit Pépito en essuyant la sueur qui lui coulait dans les yeux.

Le grand-père empoigna ses béquilles et s'en servit pour étayer la charrette, afin qu'elle ne se renverse pas.

– Reposons-nous, proposa-t-il. Et, après un moment, il ajouta :

– Sors-moi de cette charrette !

Pépito le fit descendre et asseoir dans l'herbe, adossé à un gros rocher. Le grand-père leva le nez et renifla.

– Thym et camomille, dit-il, puis il ferma les yeux et se croisa les bras. Entends-tu ce bourdonnement ? chuchota-t-il.

– Des abeilles et des bourdons, dit Pépito.

Le soleil était presque au zénith, juste au-dessus d'eux.

– Il me réchauffe, dit le grand-père.

– Ne veux-tu pas dormir un peu ? demanda Pépito.

– Si seulement les rêves n'existaient pas, les mauvais rêves et les rêves tristes, soupira le grand-père.

Il se pencha en avant et écrivit dans la poussière, avec son doigt :

« AU-E-I-O ».

Puis il dit :

– Il manque quelque chose, en effet.
Mais quoi ?
– Le R et le L, répondit
Pépito.

Une heure plus tard, Pépito dit :

– Il nous faut continuer, grand-père.

Mais le grand-père n'était pas décidé à bouger. Pépito se blottit contre lui. Et tous deux s'endormirent. Serrés l'un contre l'autre, ils dormirent longtemps. C'est un bourdon qui réveilla Pépito en essayant de s'introduire dans l'une de ses narines.

– Viens, grand-père, dit-il.

Mais le grand-père fit comme s'il n'avait rien entendu. Ainsi, le vieil homme et le garçon restèrent assis entre buissons et racines, au beau milieu de la pente, jusqu'à ce que le soleil fût passé de l'autre côté du sommet.

Alors le grand-père soupira :

– R et L, j'essaie et j'essaie encore, mais ça ne donne aucun sens.

Il se laissa hisser à nouveau sur la charrette.

– Plus qu'une demi-heure, et nous serons en haut, dit Pépito.

Il s'écorchait les pieds sur les pierres.

– Grand-père, est-ce que tu pourrais prendre le timon entre tes jambes et le guider avec tes pieds ? demanda-t-il. Alors je pourrais pousser et cela serait plus facile.

– Je ne peux pratiquement plus marcher, dit le grand-père, mais mes genoux sont si raides qu'ils vont m'aider à conduire.

Il prit le timon entre ses jambes et Pépito poussa.

Au bout d'un quart d'heure, il dut s'arrêter. Il s'arc-bouta contre la charrette pour l'empêcher de reculer.

– L et R, dit le grand-père, au début ? A la fin ? Au milieu ?

Alors retentirent des cris : c'étaient l'instituteur et toute sa classe qui gravissaient la pente.

– Ohé ! Pépito ! criaient les enfants.

– Ohé ! grand-père ! lança l'instituteur. Lorsque le soleil s'est levé, nous avons décidé de partir en excursion. Avez-vous déjà atteint le sommet ?

Pépito fit non de la tête et l'instituteur appela tous les enfants à pousser la charrette qui se mit à bondir sur les pierres en faisant des étincelles. Dans un ultime effort, ils atteignirent le sommet.

– Arrêtez ! cria le grand-père. Attention au précipice !

Les enfants, effrayés, firent reculer la charrette de quelques mètres. Pépito cala une grosse pierre devant la roue avant gauche et une autre derrière la roue arrière droite. Puis il se pencha avec les autres enfants au bord du gouffre.

— Que voyez-vous ? demanda le grand-père.

— Des cabanes minuscules, répondirent les enfants, des chemins et des champs minuscules, et des gens, complètement minuscules, et beaucoup de bancs de brume entre les montagnes, des nuages...

— C'est possible, dit l'instituteur, cette montagne, sur laquelle nous sommes, est la plus haute, la plus grande, la plus belle. C'est pour cela qu'ici, en haut, nous sommes au soleil.

— Et il est bien chaud, ce soleil, ajouta le grand-père.

L'instituteur siffla le rassemblement en vue du retour. Il voulait emmener le grand-père, mais celui-ci secoua la tête.

— Tu as raison, dit l'instituteur, prends ton temps. A demain, Pépito.

Comme une avalanche de cris et de rires, la nuée d'enfants dévala la pente et Pépito suivit ses camarades du regard jusqu'à ce qu'ils aient tous disparu.

Pépito penchait la tête et attendait.

– Ça y est ! je crois que j'ai trouvé, dit soudain le grand-père, c'est AU-R-E-L-I-O !

Il demanda à Pépito de lui montrer comment on écrit le R et le L, puis dessina son nom dans la terre, du bout de sa béquille.

– Aurélio, c'est moi !

« Une diablerie, ces lettres. C'est extraordinaire de pouvoir lire son propre nom !

« Maintenant, je suis prêt, dit le grand-père. Seulement, tu vas repartir avec la charrette. Tu peux t'asseoir dedans et rouler jusqu'en bas. Tu vas bien t'amuser, non ?

– Pas sans toi, grand-père, pas sans toi, dit Pépito, et il fondit en larmes.

– Bon, dit le grand-père, je vais me laisser fléchir.Et puis, finalement,

cela va m'amuser de lire et de chanter
et j'ai envie de cette ceinture pour
mes reins et j'ai envie de jouer de la
guitare. Et Antonio ? Vais-je le laisser

boire son cidre tout seul ? Cela serait bien peu courtois. Sans compter que j'ai faim. Le précipice, c'est pour plus tard, après le baptême du petit d'Isidore et d'Isabelle, ou pour plus tard encore ou pour pas du tout !

Pépito poussa un cri de joie et prit son grand-père dans ses bras.

Il enleva les deux pierres qui bloquaient les roues, tourna la charrette, la poussa, sauta à bord et s'accroupit derrière le vieil homme qui avait pris le timon entre ses jambes et conduisait le bolide.

– Ça valait le coup ! chanta le grand-père. Yohohoooo !

FIN

Gudrun Pausewang est née avant la guerre, en Bohême. A la fin de la guerre, sa famille s'est enfuie en Allemagne de l'Ouest. Entre 1956 et 1970 elle a beaucoup voyagé, travaillant et enseignant en Amérique du Sud : Chili, Venezuela, Colombie. En 1970 naissait son fils Kurt, et elle se mit à écrire des livres pour enfants ! Très rapidement elle est devenue un auteur célèbre et ses livres ont connu un très grand succès, en Allemagne et dans le monde. Son roman sur la guerre atomique *Les nuages* est traduit dans toutes les langues et a été un événement politique important en Allemagne. Gudrun Pausewang est lauréate du prix allemand de la littérature de jeunesse.

Inge Steineke est la mère de deux enfants. Elle est professeur dans une Ecole normale supérieure de dessin. Elle se consacre également à la peinture et expose ses tableaux. Elle a par ailleurs illustré de nombreux albums pour enfants en particulier ceux de Gudrun Pausewang.

Aurélio
Supplément illustré

Test

Comment goûtes-tu la vie ?
Pour le savoir, choisis pour chaque question
la solution que tu préfères. *(Réponses page 62)*

1 Le pays où tu rêves d'aller serait celui où :
- ● tu rencontrerais des gens très chaleureux
- ▲ tu découvrirais une autre façon de vivre
- ■ les enfants seraient les rois

2 Ta journée à l'école a été agréable car :
- ▲ le cours d'Histoire était génial
- ■ la récréation a duré trois quarts d'heure
- ● tu t'es réconcilié avec ta meilleure amie

3 Pour ton anniversaire :
- ● tu invites tes amis
- ▲ tu organises une grande chasse au trésor dans un parc
- ■ tes parents t'emmènent dans un parc d'attractions

54

4 <u>Comme cadeau tu préfères :</u>
- ● un jeu de société
- ▲ une encyclopédie
- ■ un déguisement

5 <u>Avant de t'endormir, tu aimes :</u>
- ● discuter avec quelqu'un de ta famille
- ▲ lire tranquillement
- ■ écouter ton walkman

6 <u>Grandir, c'est bien parce que :</u>
- ▲ on connaît plus de choses
- ■ on a le droit de faire ce que l'on veut
- ● on a beaucoup plus d'amis

7 <u>Vieillir, ce n'est pas bien parce que :</u>
- ■ on a de moins en moins de force
- ▲ il est trop tard pour apprendre ce qu'on ne sait pas
- ● c'est plus difficile de se faire de nouveaux amis

8 <u>Plus tard, tu aimerais être :</u>
- ● médecin
- ▲ professeur
- ■ comédien

9 <u>La qualité que tu préfères chez les gens, c'est :</u>
- ■ la joie de vivre
- ▲ la curiosité
- ● la générosité

10 <u>Aurélio a renoncé à mourir car :</u>
- ● il a vu Pépito pleurer
- ■ il a encore envie de s'amuser
- ▲ il a appris à lire

Informations

■ Les morales de l'histoire ■

Vieillir n'est pas une chose facile. On commence
à se sentir plus fatigué et l'on a l'impression
de devenir inutile. *On devient vieux quand on
ne sert plus à rien* pourrait être la première
morale de cette histoire. Aurélio comprend
qu'il doit continuer à vivre pour les autres.
Apprendre à lire et à écrire l'aide aussi à reprendre
goût à la vie. *On commence à vieillir quand on
a fini d'apprendre*. Ce proverbe japonais
pourrait être l'autre morale de cette histoire.

■ Les âges de la vie

Hippocrate, le plus célèbre médecin
de l'Antiquité grecque, comparait les
âges de la vie aux saisons. Le printemps
correspondait à l'enfance, l'été à l'âge mur,
l'automne au début de la vieillesse et l'hiver
à la fin de la vie. Du temps d'Hippocrate, l'hiver
de la vie débutait à 56 ans. Au cours des siècles,
l'âge de la vieillesse a beaucoup changé.
Au XVIIe on était un vieux à partir de 40 ans.
De nos jours les femmes peuvent espérer vivre
jusqu'à 79 ans et les hommes jusqu'à 71 !

■ Pourquoi vit-on plus longtemps ?

 La médecine a fait d'énormes progrès et peut soigner des maladies qui étaient inconnues autrefois. L'hygiène s'est améliorée. Le temps de repos est devenu obligatoire, et la retraite est à 60 ans.

Illustrations J.L. Besson, *Le livre des découvertes*, Découverte Cadet

■ Le rôle des grands-parents

Dans certaines tribus d'Afrique noire le vieux est celui qui éduque les enfants, leur transmet son savoir et ses conseils. On dit que : "Quand un vieux meurt c'est une bibliothèque qui brûle." Dans les pays plus développés, les livres restent, mais on ne réalise pas toujours qu'un livre ne remplacera jamais des grands-parents.

■ Vivre c'est vieillir

Depuis toujours les vieux regrettent leur jeunesse et les jeunes redoutent l'arrivée de la vieillesse. Dans les contes, la sorcière est toujours vieille alors que la princesse reste toujours belle. Il faut bien réaliser que du moment où l'on naît on ne cesse de vieillir.

Jeux

■ La complainte d'Aurélio ■

La vie est souvent pleine d'oppositions, comme Aurélio l'explique à Damien, l'instituteur. Voici la chanson qu'il a composée : les contraires se sont envolés. A toi de retrouver la fin de chaque vers en choisissant sur la portée les mots qui manquent. *(Réponses page 62)*

Est-ce que je n'ai pas vécu
Tout ce que l'on peut vivre ?
1. J'ai ri et j'ai......
2. J'ai jeûné et j'ai......
3. J'ai gagné et j'ai......
4. J'ai semé et j'ai......
5. J'ai dit la vérité et j'ai......
6. J'ai dormi et j'ai......
7. Je me suis fatigué et je me suis......
Cette vie, malgré tous ses contraires
Je serais bien prêt à la refaire !

menti   récolté
veillé   pleuré
reposé   festoyé   perdu

■ Aurélio dans tous ses états

Aurélio dit à Pépito qu'il a tout connu dans la vie, toutes les émotions, tous les états. Sauras-tu retrouver chacun d'eux grâce aux définitions suivantes ?

1. Grâce à une bonne nouvelle on peut l'être.
2. Le contraire d'aimer.
3. Arrive quand on fait un effort.
4. La perte de quelqu'un l'est souvent.
5. Synonyme de crainte.
6. Pour gagner sa vie il faut le faire.
7. Exprime un très beau sentiment.

(Réponses page 63)

■ L'alphabet d'Aurélio ▬▬▬▬

Voici douze questions. Chaque fois que tu réponds à l'une d'entre elles, entoure le chiffre qui correspond à ta réponse. Ce chiffre indique la position d'une lettre dans l'alphabet. Lorsque tu as répondu à toutes les questions, aide-toi des chiffres que tu as entourés pour découvrir ce qu'Aurélio a retrouvé après sa longue montée vers le précipice.

	VRAI	FAUX
1. Aurélio veut se jeter dans le précipice car il se trouve trop vieux…	5	8
2. La classe du village se trouve dans une bergerie……………………	14	26
3. Pépito est le fils du fils d'Aurélio…	11	20
4. Il manque de l'ail au fromage d'Astédia……………………………	8	12
5. La guitare ne résonne plus clairement car elle est vieille et usée..	9	15
6. Rosalina promet à Aurélio de lui tricoter une ceinture pour l'hiver……	13	21
7. Isabelle et Isidore hésitent à se marier parce que leur peau n'est pas de la même couleur…………………	19	9
8. Les bergers sont trois……………	25	9

9. Isabelle promet au grand-père
d'appeler son premier enfant Pépito...　7　1
10. Pépito pousse la charrette pour
redescendre.........................　16　19
11. Les services que l'on demande
à Aurélio lui prouvent qu'il a encore
sa place parmi les hommes..........　13　21
12. Le grand-père ne retournera
jamais au bord du précipice.........　5　13

A B C D E F
G H I J K L M N O
P Q R S T U V W X Y Z

1	2	3	4	5	6	7	8	9	10	11	12

(Réponses page 63)

■ A travers les âges

Connais-tu la réponse à cette célèbre
devinette que le sphinx posa à Œdipe ?

Qui marche le matin à quatre
pattes, à midi sur deux pattes
et le soir sur trois pattes ?

(Réponses page 63)

Réponses

pages 54 et 55

Compte les ●, les ▲ et les ■ que tu as obtenus :

- Si tu as plus de ●, tu ne goûtes bien
la vie que si tu la partages avec tes amis,
tes proches et tous ceux que
tu rencontres. L'amitié te fait
chaud au cœur, tu es généreux
et tu choisis rarement la solitude.

- Si tu as plus de ▲, pour toi la vie est un grand
livre qui contient mille choses à découvrir.
Apprendre, connaître, savoir sont les choses
que tu goûtes le plus et qui te poussent toujours
en avant.

- Si tu as plus de ■, on peut dire de toi que tu
respires la joie de vivre ! Tu mords la vie
à pleines dents. Manger, danser,
jouer, rire. La vie est une belle fête,
n'est-ce pas ?

page 58

La complainte d'Aurélio : 1. pleuré - **2**. festoyé
- **3**. perdu - **4**. récolté - **5**. menti - **6**. veillé -
7. reposé.

page 59

Aurélio dans tous ses états : 1. *Heureux -*
2. *Haïr -* **3.** *Transpirer -* **4.** *Triste -* **5.** *Peur -*
6. *Travailler -* **7.** *Aimer.*

pages 60 et 61

L'alphabet d'Aurélio : 1. *(5 = E) -* **2.** *(14 = N) -*
3. *(20 = T) -* **4.** *(8 = H) -* **5.** *(15 = O) -*
6. *(21 = U) -* **7.** *(19 = S) -* **8.** *(9 = I) -* **9.** *(1 = A)*
10. *(19 = S) -* **11.** *(13 = M) -* **12.** *(5 = E).*
Le mot à trouver est : ENTHOUSIASME
A travers les âges : *C'est l'homme, car petit il*
marche à quatre pattes, ensuite sur deux jambes,
puis quand il devient vieux, il a besoin d'une
canne pour l'aider à marcher.

collection folio cadet

série bleue

Qui a volé les tartes ?
Ahlberg
La petite fille aux allumettes,
Andersen/Lemoine
Les boîtes de peinture,
Aymé/Sabatier
Le chien, Aymé/Sabatier
Le mauvais jars,
Aymé/Sabatier
La patte du chat,
Aymé/Sabatier
Le problème,
Aymé/Sabatier
Les vaches, Aymé/Sabatier
La Belle et la Bête, de
Beaumont/Glasauer
Faites des mères ! Besson
Clément aplati, Brown/Ross

Le doigt magique,
Dahl/Galeron
Il était une fois deux oursons,
Johansen/Bhend
Marie-Martin, Mebs/Berner
Mystère, Murail/Bloch
Dictionnaire … Pef
Le livre des nattes, Pef
L'ivre de français, Pef
Les belles lisses poires de
France, Pef
Contes pour enfants pas
sages, Prévert/Henriquez
Les inséparables,
Ross/Hafner
Du commerce de la souris,
Serres/Lapointe
Le petit humain, Serres/Tonnac

série rouge

Le cheval en pantalon,
Ahlberg
Histoire d'un souricureuil,
Allan/Blake
Le rossignol de l'empereur...,
Andersen/Lemoine
Grabuge et..., de
Brissac/Lapointe
Petits contes nègres pour les
enfants des blancs,
Cendrars/Duhème
Fantastique Maître Renard,
Dahl/Ross
Louis Braille,
Davidson/Dahan
Thomas et l'infini,
Déon/Delessert
Aristide, Friedman/Blake
L'anneau magique de
Lavinia, Pitzorno/Bussolati

Rose Blanche,
Gallaz/Innocenti
Le poney dans la neige,
Gardam/Geldart
L'homme qui plantait...,
Giono/Glasauer
Les sorcières, Hawkins
Voyage au pays des arbres,
Le Clézio/Galeron
L'enlèvement de la
bibliothécaire, Mahy/Blake
Amandine Malabul,
Murphy
Amandine Malabul
aggrave son cas, Murphy
Pierrot ou les secrets...,
Tournier/Bour
Barbedor, Tournier/Lemoine
Comment Wang-Fô fut
sauvé, Yourcenar/Lemoine